SPÉCIAL V

Dans l'ombre des rhinocéros

FAUNE EN DETRESSE

Sur les pas de Paul Nature

Cette histoire se passe dans le parc de Pilanesberg, en Afrique du Sud.

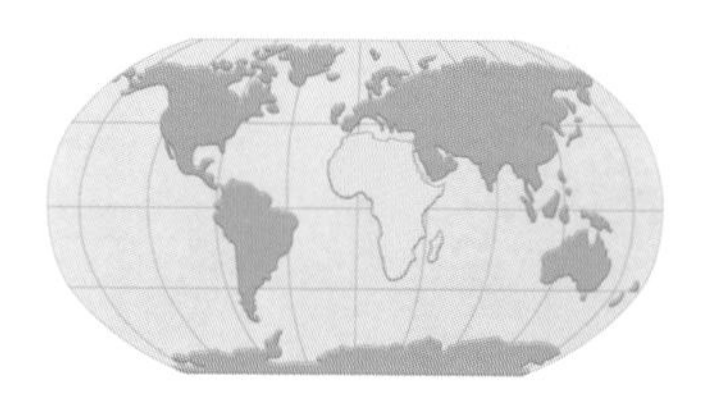

SPÉCIAL VERT

Dans l'ombre des rhinocéros

écrit par Alain Surget

I

Shaka

Il fait nuit. Shaka respire le frais à pleins poumons. C'est un jeune Swazi au visage et au corps peints en blanc : il vient d'achever sa période d'isolement, suite à la cérémonie de la circoncision, qui lui permet enfin d'accéder au stade noble de la maturité. Il lui faut maintenant tuer son premier gibier pour entrer dans la classe des chasseurs, et surtout pour s'attirer le regard des filles. Une sagaie à la main, Shaka traverse le village endormi, passe entre les cases rondes faites d'un clayonnage revêtu de boue. Les portes et les minuscules fenêtres sont hermétiquement closes car les Swazi craignent les sorcières une fois la lumière du jour enfoncée dans la terre.

Shaka sort du village, s'aventure sur la piste qui mène au bout de la réserve. Il réfléchit. S'il se dirige à main droite, il va arriver au village des Pondo qui, avec les Tembu et un groupe de Xhosa, occupent la partie nord de la réserve. Mais l'entassement de ces pasteurs jadis nomades a provoqué un surpeuplement et une forte érosion des sols. Il ne trouvera aucune gazelle là-bas... un lion ou un léopard peut-être, attirés par le bétail des hommes. S'il opte pour la gauche, le sud, il risque de rencontrer des Blancs, concentrés dans les villes de la grande couronne de Johannesburg. Shaka inspire une grande bouffée d'air. Sa décision est prise : c'est vers l'ouest qu'il traquera son gibier ! Il quitte la piste et se met à courir à petites foulées en direction du mont Pilanesberg.

L'aube allume le Veld* d'une lueur d'incendie. C'est un décor magnifique, avec des plaines, des massifs, des vallées et des cieux à l'échelle de géants. Du promontoire où il se tient, Shaka découvre au loin la vallée de la Krokodil, incisée entre les collines. Les herbes s'étendent à l'infini dans une nuance de verts et d'ors. Des bosquets d'acacias et des

* Zone de transition entre la savane et la steppe arbustive.

fourrés enserrent des clairières à graminées. Des baobabs se dressent ici et là, isolés, tels des gardiens hirsutes blanchis par le soleil.

Les ombres raccourcissent, la lumière devient rapidement éclatante, d'une limpidité de cristal. La main en visière, Shaka cherche une traînée de poussière qui témoignerait du passage d'un troupeau d'impalas, d'oryx* ou de gazelles… Rien ! Et pourtant les bêtes sont là, il le sait, couleur de terre et d'écorce. « Je trouverai des traces le long de la rivière, se dit-il. Les animaux vont toujours boire le soir, à l'heure du fauve. »

Shaka descend de son promontoire. Un vent coulis fait onduler les hautes graminées. Shaka lève le nez,

* Les impalas et les oryx sont des antilopes.

se met à flairer l'air à la manière des grands fauves. Il essaie de déceler des odeurs fortes, pénétrantes, musquées, mais il ne sent que l'arôme légèrement sucré des fleurs mêlé à cette exhalaison d'herbe chaude qui ressemble à celle du foin.

Le jeune Swazi poursuit son chemin. Le mont Pilanesberg se découpe au loin, trapu, comme une grosse vertèbre un peu floue. Shaka tombe tout à coup en arrêt devant la voie ferrée qui coupe la savane en deux et relie Thabazimbi à Prétoria. Prudent, il hésite à la franchir : on lui a souvent répété que le train arrive si vite qu'on n'a même pas le temps de l'entendre. Shaka regarde à droite, à gauche, heurte le rail de la pointe de sa sagaie comme pour l'interroger, puis il saute par-dessus. Un vrai bond de gazelle !

À mi-chemin entre la voie ferrée et l'affluent de la rivière Krokodil, Shaka est brusquement agressé par un relent de charogne apporté par le vent. « Les restes d'un festin de lions, pense-t-il en s'approchant. Je vais pouvoir relever des traces et suivre la piste d'un troupeau, même si les herbes se sont relevées après son passage. »

Quelle n'est pas sa stupéfaction quand il arrive près d'un îlot d'acacias ! Le cadavre d'un rhinocéros blanc est couché sur le flanc, et une bande de vautours, la tête enfoncée jusqu'aux ailes dans ses entrailles, est occupée à lui dévorer le ventre.

– Ce n'est pas un fauve qui a pu tuer cette bête.

Deux rapaces se dandinent vers le jeune Swazi et le menacent de leur bec. Shaka les chasse d'un moulinet

de sa lance, examine l'animal. Le sol est foulé tout autour, la terre porte des coups, lacérée, comme si on s'était acharné sur elle après avoir tué le rhinocéros.

– Il a des trous sur tout le corps, remarque Shaka en tournant autour de lui. On dirait que ses côtes sont brisées. Qui a pu faire une chose pareille ?

2

La piste des morts

Shaka observe autour de lui. D'où a pu surgir une mort aussi violente ? Car ce qui a tué le rhinocéros doit être doté d'une force colossale. C'est comme si un camion ou un char lui était passé dessus. Or il n'y a nulle part des empreintes de roues ou de chenilles.

Shaka poursuit son chemin en direction de l'affluent de la Krokodil. Il marche près de deux heures sous un soleil de plomb, guettant les mouvements dans les herbes afin de surprendre une proie qui lui permettrait de retourner dans son village, acclamé par les siens. Mais il lui faut tout de même un gibier de belle taille ! Pas ce daman* surpris dans les rochers granitiques posés en collines au milieu de la prairie, ni ces agames** multicolores postés en sentinelles devant les broussailles. L'espace qui s'ouvre devant lui, à présent, est bosselé de termitières. La zone a été déboisée par les éléphants : des souches et des branchages, qui ont fourni une nourriture abondante aux termites, gisent à

---

* Les damans sont des mammifères qui ressemblent à des marmottes.
**Les agames sont de gros lézards de près de trente centimètres de long qui ont la particularité de changer rapidement de couleur.

terre. Les termitières se dressent en colonnes, en tourelles, en forteresses de plus de six mètres de hauteur.

Un mouvement dans l'azur. Un milan noir vole en cercle au-dessus d'une termitière adossée à un gros acacia. Qu'a-t-il aperçu au sol ? Si c'est un herbivore blessé ou mort, le troupeau n'est pas loin. Mais il est difficile à Shaka de voir à plus de cent pas tant les herbes sont hautes. Le jeune Swazi cherche le vent, le hume. L'air n'est pas chargé d'une odeur de fauve. Rassuré, Shaka se met à courir.

La termitière s'est tellement développée qu'elle englobe l'arbre et monte à mi-hauteur du tronc. C'est une véritable ville ! Un grésillement tout proche ! Une sorte de bourdonnement affreux soulevé par des milliers d'élytres.

– Oh non ! s'exclame Shaka.

Une masse grouillante de mouches recouvre une carcasse de rhinocéros. Il ne subsiste d'elle que quelques lambeaux de chair dure accrochés à des os. La chaleur a craquelé la peau, la tête a été nettoyée par les fourmis et par les oiseaux. Shaka étudie le squelette, constate que des côtes sont cassées et qu'un tibia a été broyé.

– Cet animal a été tué bien avant celui que j'ai découvert ce matin, mais de la même façon.

Il regarde autour de lui, frissonne.

– Quelque chose rôde dans la savane. Quelque chose de pas normal. Ce ne sont pas des chasseurs qui agissent comme ça.

Plus tard, Shaka atteint enfin l'affluent de la Krokodil. Les rives

sont foulées par quantité de sabots, la boue a conservé quelques empreintes de fauves, larges, griffues, nettement marquées. Shaka longe la berge. Les animaux reviendront se désaltérer, alors il cherche un endroit où se poster pour attendre la fin du jour. Il marche un long moment, contourne un amas rocheux. Quelque chose attire son attention dans le lit accidenté du cours d'eau. C'est encore un cadavre de rhinocéros ! La bête a été précipitée dans les flots ou elle s'y est jetée pour échapper à son agresseur. Shaka ne voit pas si elle porte des blessures ou non : elle est coincée entre des blocs, et l'eau sauvage éclate en jaillissements d'écume autour d'elle.

« C'est le même tueur, c'est sûr, conclut Shaka. Ce rhinocéros est là depuis peu car aucun rapace ne l'a encore écorché. » Un aigle belliqueux est campé sur une souche, tout près du corps. Sa présence tient à distance les vautours, les buses et autres faucons. Quelques melierax chanteurs* sautillent sur les rives, mais pas un n'ose s'envoler pour aller se poser sur la montagne de viande. Shaka en vient aux suppositions les plus folles : il y a un monstre dans le parc du Pilanesberg, ou le dieu Unkulunkulu a décidé de supprimer les rhinocéros. Mais pourquoi ? Va-t-il détruire ensuite les autres formes de vie ?

Poursuivant son chemin, Shaka aperçoit un gros acacia solitaire au pied d'un amoncellement de roches. Son feuillage paraît avoir doublé de

---

* Rapaces de taille moyenne, au plumage noir. Contrairement à la plupart des oiseaux de proie qui poussent des cris aigus, les melierax émettent des sons mélodieux.

volume avec les centaines de nids que les tisserins ont tressé sur ses branches. « J'y serai à l'aise en attendant que les troupeaux approchent. De là-haut, je choisirai ma proie et je fondrai sur elle sans lui laisser le temps de s'enfuir. Et puis je découvrirai peut-être ce qui tue les rhinocéros. »

Couché à la fourche de deux branches, le jeune Swazi ne bouge plus. Le soleil frôle l'horizon. Dans un instant, le Veld se teindra d'or puis il virera au rouge cramoisi avant de devenir bleu. Les premières bêtes arrivent : ce sont des gnous, des girafes et des zèbres. Elles tournent la tête du côté de leurs sentinelles, guettent un signe d'alarme puis, rassurées, elles entrent dans l'eau et se dépêchent de boire. C'est alors qu'un nuage de poussière fume dans le lointain. Le troupeau d'antilopes ! … Non, le voile de poussière est trop ténu, il ne s'élève pas en panaches, comme quand d'innombrables pattes sont en mouvement. Le nuage suit la piste, bifurque vers le cours d'eau. Un ronronnement de moteur. Inquiets, les animaux redressent la tête, se dispersent par groupes.

Shaka reconnaît la jeep des gardiens du parc. Il se tasse sur sa branche, cherchant à disparaître au milieu du feuillage et des nids de tisserins. Le véhicule s'arrête sous l'acacia. Une jeune femme lance :

– Descends de ton perchoir ! C'est toi que je viens chercher !

Shaka obéit de mauvaise grâce. Il se laisse glisser de son arbre et prend place sur le siège à côté de la conductrice.

– On a déjà expliqué aux jeunes

de ton âge qu'on ne chasse pas les animaux du parc.

– Je veux devenir un guerrier, rumine Shaka.

– Ce temps-là est révolu. C'est à l'école de la réserve qu'on prépare désormais son métier d'homme.

– J'ai du mal à apprendre à lire et je n'aime pas le calcul. Je préfère la vie d'avant, lorsque nos pères se battaient contre les lions et contre leurs ennemis Pondo.

– Je suis de la tribu des Pondo, annonce la jeune femme en démarrant. Je m'appelle Wanda. Ne crois pas pourtant que je me conduise en ennemie en te ramenant chez toi.

Shaka rentre la tête dans ses épaules, toute superbe envolée. Ce n'est pas en sachant lire qu'il attirera le regard des filles.

– Vous savez ce qui a tué les rhinocéros ? demande-t-il pour changer de sujet.

– Cela dure depuis un bon mois. On ne comprend pas ce qui se passe. On vient de réclamer l'aide de « *Faune en Détresse* ». Un spécialiste doit arriver sous peu, un certain Paul Nature. C'est moi qui le piloterai dans le parc parce que je suis la seule parmi les gardiens à savoir parler l'anglais…

– Vous êtes le chef alors ?

– On peut dire ça. Tu vois que ça sert d'être allée à l'école.

– Je pourrais rester avec vous jusqu'à ce que…

– Non, coupe Wanda. Ton maître t'attend en classe… si tu veux devenir, un jour, un chef à ton tour.

3

Mystère dans le Veld

Paul Nature secoue la tête.

– Ce n'est pas l'œuvre de braconniers, affirme-t-il après avoir examiné le cadavre d'un rhinocéros. Son corps est brisé comme s'il était tombé d'une falaise.

– Mais il n'y a pas de falaises, fait remarquer Wanda.

– C'est bien là le mystère. Vous avez évalué les pertes ?

– Une dizaine de rhinocéros blancs a été tuée. À ce rythme, il ne nous en restera bientôt plus.

– Le parc Kruger* connaît-il les mêmes drames ? demande Paul en regagnant la jeep.

– Non. Le mal ne frappe que chez nous. Les sorciers font courir l'idée d'une malédiction ; certains journaux évoquent l'ombre de Godzilla ou de toute autre créature génétiquement transformée qui aurait trouvé refuge dans le parc.

– Les mythes ont la vie dure, soupire Paul en s'asseyant sur son siège.

Wanda s'installe au volant. Le véhicule repart en suivant l'affluent

* Autre parc naturel d'Afrique du Sud situé au nord-est, à la frontière avec le Mozambique.

de la Krokodil. Ils découvrent plus tard le cadavre au milieu du courant. La jeune femme appelle aussitôt ses collègues à partir de son portable afin qu'ils procèdent à l'enlèvement du rhinocéros avant qu'il ne se décompose et ne pollue les eaux.

– Dirigeons-nous vers la rivière Krokodil, propose Paul.

– Nous sortons du parc.

– Justement, j'aimerais savoir jusqu'où nous allons trouver des…

Un sifflement strident cisaille sa phrase. Un monstre rouge gronde sur ses rails, passe dans un tonnerre d'orage.

– Le train de Thabazimbi, commente Wanda. La voie ferrée suit la rivière.

Elle a un brusque éclair, s'écrie :

– Et si les bêtes avaient été percutées par le train ? Cela expliquerait les os brisés. Les lions auraient ensuite tiré les carcasses plus loin afin de les dévorer en toute tranquillité.

– C'est une hypothèse tentante, admet Paul, mais dix rhinocéros écrasés en un mois, cela fait beaucoup, non ? Les locomotives auraient été endommagées, la direction des chemins de fer aurait fait élever des glissières ou des grilles le long de la voie. Et puis j'imagine mal des lions traîner un tel poids, même à plusieurs.

– Vous devez avoir raison. Alors... soupire Wanda avec un geste d'impuissance.

– Alors il y a autre chose... et nous devons le découvrir.

Shaka est retourné dans le Veld depuis deux jours. L'école peut

attendre, il veut d'abord savoir ce qui tue les rhinocéros. Il vient de laisser derrière lui l'affluent de la Krokodil et longe à présent la grande rivière. Son sac à nourriture accroché à la ceinture, il court à petites foulées – son allure d'endurance – et tient sa sagaie pointée en avant comme pour embrocher un ennemi invisible. Un impala jaillit soudain des hautes herbes, quelques mètres à peine devant lui. Shaka lève son bras pour tirer mais il se retient à temps : il n'est pas venu pour chasser, cette fois-ci. Il aura davantage de mérite à percer le mystère de la mort des mastodontes qu'à rapporter une antilope. Cependant, si l'animal gambade à sa portée de tir, au retour…

Shaka descend le cours de la Krokodil lorsqu'il perçoit des jappements et des grognements. « Des chacals se disputent une proie », suppose-t-il. Il se coule entre les herbes, progresse contre le vent. Deux lyacons* sont face à une hyène, cherchant à la déloger de l'imposante masse de viande qu'elle s'est appropriée. Un nouveau cadavre de rhinocéros, fraîchement tué celui-là ! L'hyène gronde, montre les crocs, fait mine de s'élancer derrière les lyacons. Les deux chiens sauvages reculent mais ne fuient pas. L'hyène, alors, fonce sur eux pour les éloigner de sa charogne. Shaka sort des herbes en hurlant. Surprises, les trois bêtes détalent. L'hyène, pourtant, décrit un arc de cercle et revient vers le jeune Swazi, menaçante.

Shaka n'insiste pas. Il a eu le

* Appelés aussi chiens chasseurs ou loups tachetés.

temps de remarquer que la corne du rhinocéros avait été sciée.

– C'est un travail de braconniers, c'est sûr, marmonne-t-il à voix haute. Mon père m'a raconté qu'ils vendaient les cornes des rhinos à des Chinois, et que ceux-ci les utilisaient dans leur médecine*. Mais pourquoi tuent-ils les bêtes de cette manière ? Et pourquoi n'ont-ils pas prélevé la corne des autres rhinocéros ?

* Réduite en poudre, la corne des rhinocéros est utilisée comme produit aphrodisiaque (un excitant).

4

Le camp de la Krocodil

Shaka décide d'en avoir le cœur net. Les braconniers ne sont certainement pas très loin et leur campement doit se situer à proximité de l'eau. Il suffit donc de continuer vers l'aval de la Krokodil pour les surprendre !

Shaka marche depuis un moment lorsqu'il avise une fumée

blanche qui s’élève derrière un baobab. « Ce sont eux ! » se dit-il en s’aplatissant d’instinct dans les broussailles. Courbé en deux, Shaka avance à pas feutrés. Il distingue une tente, s’en approche par l'arrière, entend des sons qu’il ne comprend pas, reconnaît pourtant la voix grave d’un homme et celle, plus cristalline, d’une femme. Il s’arrête, écoute, essaie d’identifier d’autres voix pour le cas où plusieurs hommes seraient dans la tente… La présence d’un seul 4X4 le rassure, mais qui sait si d’autres véhicules ne vont pas surgir de la savane…

Shaka arrive derrière la tente, colle son oreille contre la toile. Il n’y a personne, à l’exception de l’homme et de la femme assis près du feu, et qui mangent en bavardant ! De la pointe de sa sagaie, Shaka déchire un pan de la toile, passe sa tête par la fente, regarde à l'intérieur : deux sacs de couchage, une grosse malle, divers ustensiles… et la corne du rhinocéros. « Il faut avertir les gardes du parc, décrète-t-il, mais comment retenir ces deux-là ? » L'idée lui vient d'aller crever les pneus du véhicule. Il contourne la tente, mais son pied heurte une boîte de conserve jetée là au hasard.

L'homme se tait au milieu d'une phrase, redresse la tête. Shaka ne respire plus.

– C'est un animal ? interroge la femme.

L'homme se lève, se dirige vers la tente. Alors Shaka bondit avec un hurlement féroce. Il bouscule l'individu, se rue vers le foyer et, devant la femme sidérée, attrape une branche enflammée qu'il lance sur la tente.

L'homme pousse un cri, se précipite pour étouffer la traînée de feu qui court sur la toile. Shaka court vers le 4X4, perce un pneu, puis deux. La femme panique, ne sait plus s'il faut aider son compagnon à maîtriser les flammes qui enflent rapidement ou arrêter le jeune fou qui s'acharne sur la voiture.

Vlouf ! La toile s'embrase d'un coup, une fumée noire monte en torsade. Trop tard pour sauver ce qu'il y a dessous ! L'homme tourne alors sa colère vers Shaka. La femme et lui cherchent à bloquer le jeune Swazi contre le véhicule. Shaka esquive l'attaque en les effrayant avec son arme, puis il se dégage et fonce droit devant lui.

– Tu ne t'en tireras pas comme ça, maugrée le bonhomme en saisissant son fusil sur le siège du 4X4.

Un coup de feu ! Un jet de terre jaillit près de Shaka. Deux autres détonations. Shaka pile net. La dernière balle vient de faire éclater une pierre entre ses jambes. L'homme marche vers lui, le crochète par l'épaule, le retourne sans ménagement. Shaka ne comprend rien au baragouin épouvantable dont l'autre l'abreuve, mais son regard est attiré par un nuage de poussière qui file sur la piste. Le retour des complices ?

Non, c'est une jeep du parc ! Shaka sourit : Wanda est au volant, et elle n'est pas seule. Les braconniers ont perdu la partie.

– Qu'est-ce qui se passe ? Pourquoi avoir tiré ? demande la jeune femme en stoppant devant les restes fumants du campement.

L'homme entame ses explications mais Shaka l'interrompt en

clamant haut et fort que ce sont des braconniers.

– Cherchez là-dessous, termine-t-il, vous trouverez une corne de rhinocéros.

Wanda traduit à Paul Nature qui fouille aussitôt parmi les débris. Il en extirpe la corne à moitié calcinée.

– Je ne comprends pas, dit Paul. Vous n'avez pas d'équipement de braconnier. Ce qui a brûlé me paraît être du matériel de simples campeurs.

L'homme baisse la tête.

– Nous faisons un safari-photo, déclare-t-il. Quand j'ai découvert le cadavre de ce rhino, je n'ai pas pu résister à la tentation d'emporter sa corne en souvenir. De toute façon, il n'en avait plus l'utilité.

Wanda contrôle leur identité, puis elle écoute le récit de Shaka, qu'elle reprend en anglais à l'intention de Paul.

– Je regrette que ce garçon ait détruit votre campement, mais si vous portez plainte contre lui, j'agirai de même contre vous pour tentative de contrebande.

– Le mot est fort, se défend la femme. Nous ne voulions que...

– Restons-en là, intervient Paul. N'avez-vous rien remarqué d'anormal dans le secteur ? Je veux dire quelque chose qui pourrait avoir un rapport avec la mort du rhinocéros ?

– Non, répond l'homme, nous l'avons trouvé hier, avant de dresser notre tente. Mais comment allons-nous poursuivre maintenant ? Ce jeune vaurien a crevé les pneus de notre voiture.

– Je vais téléphoner afin qu'on envoie quelqu'un vous chercher, les rassure Wanda. Mais il vous faudra patienter jusqu'au soir.

– Nous ne rentrons pas, précise Paul devant l'air effaré de la jeune femme. Pas tant que nous n'aurons pas élucidé le mystère qui entoure le massacre des rhinocéros.

Wanda fait monter Shaka dans la jeep. Paul s'en étonne.

– Il ne retourne pas avec eux ?

– Je le crois capable de sauter en marche et de disparaître dans le Veld pour aller débusquer d'hypothétiques trafiquants.

– Qu'est-ce qui vous garantit qu'il restera avec nous ?

– Nous ne prenons pas le chemin de l'école.

5

Le musth

Debout dans le véhicule, Paul étudie le paysage à la jumelle. Wanda et lui ont découvert des traces fraîches de rhinocéros et ils les ont suivies jusqu'à une série de points d'eau.

– Je le vois, annonce Paul. Il est seul et se vautre dans la boue. N'approchons pas plus, le bruit du moteur provoquerait sa fuite.

La jeune femme coupe les gaz. Paul saute de la jeep et, Shaka sur les talons, il se faufile entre les herbes. À une centaine de mètres de l'animal, Paul retient Shaka d'aller plus loin.

– Son ouïe et son odorat sont très développés. S'il nous repère, il...

Paul s'arrête de parler. « Je suis bête, se raisonne-t-il, ce garçon ne me comprend pas. » Shaka arbore un large sourire et fait « oui » de la tête pour donner l'illusion d'avoir saisi le sens des phrases de l'homme. Paul met son doigt sur la bouche, s'allonge sur le sol et observe le rhinocéros. Shaka l'imite, fier de seconder celui que Wanda lui a présenté comme un guerrier de la Nature.

Le rhinocéros quitte son bain de boue et commence à se frotter contre le tronc d'un arbre pour se débarrasser des croûtes de terre dans lesquelles il vient d'emprisonner ses parasites. Des hérons garde-bœufs tournent autour de lui, capturent les insectes à coups de bec. Soudain le rhinocéros redresse la tête et s'agite nerveusement, humant le vent et orientant ses oreilles dans toutes les directions. Il expire avec force, se décolle de l'arbre, fait quelques pas hésitants puis s'éloigne d'un trot léger.

– Il a senti quelque chose, murmure Paul.

Il se relève, fait signe à Wanda d'approcher avec la voiture. C'est alors qu'une formidable sonnerie de trompes déchire l'air. La terre gronde, se met à trembler. Shaka serre sa lance à s'en meurtrir les doigts. L'œil fixe, il regarde la masse de poussière qui vient de monter du sol et se dirige sur eux. Paul l'attrape par l'épaule, l'entraîne derrière lui. Ils courent vers la jeep. Wanda déboule, freine, cueille ses compagnons et repart en accélérant à fond.

– Ce sont des éléphants ! hurle la jeune femme pour couvrir le martèlement assourdissant. Ils nous chargent !

– Non, rectifie Paul, ils bifurquent. C'est le rhino qu'ils prennent en chasse. Foncez derrière lui !

La voiture saute dans les trous d'eau, projetant des jets de boue à hauteur d'homme. Elle file parallèle à la ruée des éléphants qui barrissent de plus belle, les défenses à l'horizontale, la trompe raide, pendue devant les pattes, les oreilles totalement déployées.

– Ils le rattrapent ! Ils vont l'écraser !

Le rhinocéros s'enfuit en zigzags pour échapper à ses agresseurs. En vain ! Tout en courant, il lance un coup de corne sur le côté pour écarter un éléphant qui, flanc à flanc, cherche à le dépasser. Un second le bouscule, un troisième essaie de le blesser avec sa défense. Deux masses finissent par l'enserrer, le pressent entre elles. Le rhinocéros est contraint de s'arrêter ; il tente de se dégager mais il est renversé. Un éléphant baisse la tête pour le percer d'un coup de défense, heureusement il ne réussit qu'à creuser un sillon dans la terre. Un autre commence à le piétiner.

Un bruit effrayant fige la troupe, détourne son attention. La main appuyée sur le klaxon, Wanda fait rugir son moteur en tournant autour des bêtes. Paul prend le fusil de la

jeune femme et tire en l'air pendant que Shaka, la mine féroce, pousse son cri de guerre. Le chef de la bande tente sa manœuvre d'intimidation : il déploie les oreilles, balance la tête et souffle bruyamment, mais il finit tout de même par reculer, harcelé par la jeep qui opère des dérapages contrôlés pour lui envoyer de la poussière dans les yeux. L'animal rompt l'affrontement, s'en va en dodelinant. Les autres le suivent, à la queue leu leu. Aussitôt le rhinocéros se relève et s'éloigne dans la direction opposée.

– Alors c'étaient les éléphants nos coupables ! s'étonne encore Wanda.

– Une fois par an, ils entrent dans une période de forte agressivité connue sous le nom de musth, explique Paul Nature. Mais je n'imaginais pas qu'ils pouvaient s'en prendre aux rhinos. Ce sont des jeunes.

– Ce sont nos dix-sept orphelins du parc. Nous n'avons pas d'autres éléphants. On ne va pas pouvoir les garder s'ils massacrent les rhinocéros.

Paul claque des doigts et, d'un air inspiré :

– Il y a peut-être une solution, annonce-t-il.

Des jours plus tard...

Embusqués derrière une gigantesque termitière, Paul Nature et Wanda étudient le comportement des jeunes éléphants. Shaka a tenu à les accompagner car il veut clore l'aventure avec eux. Et puis il a promis à ses camarades de classe et à son maître de leur raconter – par écrit – toute l'histoire.

– Il y en a trois qui commencent à s'exciter, note Wanda.

Deux éléphants se chamaillent, se donnent des coups de trompe sur le front. Un troisième, la tête appuyée contre le flanc de l'un d'eux, le pousse comme s'il voulait le faire tomber. La troupe, occupée à briser des branches d'acacias, paraît indifférente à la scène jusqu'à ce qu'un autre rejoigne ses trois congénères et leur décoche quelques coups de défense, sans gravité. L'excitation gagne peu à peu l'ensemble du troupeau.

– Ils arrêtent de manger pour se regrouper, commente Wanda. J'ai bien peur qu'ils n'aillent se défouler sur un rhinocéros en balade.

À ce moment un vieux patriarche cesse de mastiquer ses feuilles et marche vers la bande.

Certains s'écartent tout de suite, quelques-uns feignent de l'ignorer. Deux autres mastodontes, de taille impressionnante, se dirigent vers le troupeau et passent entre les jeunes pour les disperser. Le plus agressif tient tête au vieux pachyderme, mais celui-ci déploie ses oreilles, souffle par le nez, saisit la trompe du jeune écervelé dans la sienne et la tord d'une simple pression. Le jeune a compris : il plie les genoux, le vieux le lâche. Sitôt libre, le jeune éléphant retourne arracher des feuilles qu'il se met à mâcher consciencieusement.

– Nous avons eu raison d'introduire des éléphants plus âgés du parc Kruger, dit Paul. La présence des adultes calme les jeunes. Ils n'iront plus attaquer les rhinocéros.

Wanda exhale un profond soupir.

– Si cela pouvait se passer de la même façon chez les humains…

Paul pose sa main sur l'épaule de Shaka.

– Retiens la leçon et n'oublie pas de le mentionner à la fin de ton récit. Tu pourrais conclure par : « Mais les hommes possèdent-ils une mémoire d'éléphant ? »

Et pendant que Wanda traduit, un rhinocéros blanc se profile entre les hautes herbes et vient brouter les feuilles d'un acacia abattu par les éléphants.

LE
RHINOCÉROS BLANC

Classification

Le rhinocéros blanc est un mammifère (la femelle a des mamelles pour nourrir ses petits).

Ordre des herbivores

Famille des rhinocérotidés

Nom scientifique : Ceratotherium simun

Il existe 5 espèces de rhinocéros.

Son nom vient du grec : rhinos (nez) et Keras (corne)

Habitat

Le rhinocéros blanc habite en Afrique du Sud et au Zaïre. Il aime les savanes claires à herbes courtes, avec quelques buissons pour mettre ses petits à l'abri et se protéger du soleil. Il lui faut aussi un point d'eau à proximité.

Caractéristiques physiques

Le rhinocéros blanc est le troisième plus gros mammifère vivant. (Il est plus gros que le rhinocéros noir.)

Longueur totale : 3,6 à 5 mètres

Longueur de sa grande corne : 50 à 60 cm, mais peut atteindre plus d'1 mètre
Poids : 2500 à 4600 kilos
Hauteur au garrot : 1,6 à 2 mètres
Longévité : 45 ans
Couleur : grisâtre, comme le rhinocéros noir. Il prend la couleur du sol sur lequel il vit.
Gestation : 16 mois

Le rhinocéros a un crâne allongé et aplati sur le dessus. Il n'y voit pas très clair car ses yeux minuscules sont placés de chaque côté de sa tête. Ses petites oreilles orientables lui permettent de capter le moindre son et il reconnaît parfaitement les odeurs. La mère peut retrouver son petit en pleine nuit, simplement en reniflant le sol. Les pattes du rhinocéros ont trois doigts terminés par des ongles qui ressemblent à des sabots. Il marche en s'appuyant sur son doigt le plus fort, celui du milieu. Ses traces ressemblent à des trèfles à trois feuilles. Le mâle est bien plus gros que la femelle.

Territoire

Le mâle dominant marque son territoire de deux kilomètres carrés en déposant d'énormes tas d'excréments qu'il disperse avec ses pattes. Puis il dirige des jets d'urine sur les grosses pierres ou les arbres alentour. Dès qu'il inspecte les limites de son territoire, le rhinocéros refait son marquage. Si deux mâles se rencontrent à la frontière de leur territoire, ils peuvent se battre de la pointe de la corne, chacun défendant son domaine. Un mâle dominant peut accepter sur son espace plusieurs mâles soumis, les tas d'excréments deviennent alors gigantesques. Un mâle dominant peut courtiser une femelle sur son territoire et même essayer de l'empêcher d'en sortir pendant plus d'une semaine. Les mâles soumis ne s'accouplent pas mais ils ont au moins un espace pour vivre.

Comportement

Le rhinocéros blanc, docile de nature, passe la majeure partie de son temps à manger et à dormir. La mère est souvent seule avec son petit. Un mâle peut se joindre à eux mais seulement pour se reproduire. Les femelles sans petits se rejoignent parfois pour former un groupe de six maximum. Elles se saluent en se frottant amicalement le museau. Les jeunes mâles sont soumis pendant leur croissance. Un jour ils défieront un mâle dominant, remporteront la victoire et deviendront dominants à leur tour. Le mâle battu devra alors se comporter comme un mâle soumis.

Le rhinocéros aime se rouler dans les mares

de boue pour se rafraîchir. La boue séchée le protège alors des piqûres d'insectes. Il utilise sa corne pour pousser ou frapper.

Nourriture

Le rhinocéros blanc est un brouteur qui se nourrit exclusivement d'herbes rases. Sa large bouche carrée et sa lèvre inférieure anguleuse lui permettent de couper l'herbe à ras du sol. Il se désaltère aux points d'eau mais peut se passer de boire pendant cinq jours consécutifs.

Reproduction

Les rhinocéros, contrairement à d'autres espèces, s'accouplent à tout moment de l'année. Seuls les mâles dominants se reproduisent vers l'âge de dix ans.

La femelle donne naissance à un seul petit, pour la première fois vers l'âge de sept ans. Ensuite, elle aura un petit tous les deux à quatre ans. A la naissance le petit pèse 65 kg, au bout de trois jours il peut déjà accompagner sa mère et il marche souvent devant. En cas de danger, il se réfugie sous ses pattes.

Le bébé rhinocéros a deux bosses au-dessus du museau qui se transformeront en deux cornes pointues. Au bout d'une semaine, le petit peut déjà brouter, mais il tétera pendant encore deux ans.

Amis

Le rhinocéros est souvent suivi par des hérons garde-bœufs. Ils se nourrissent des criquets que le rhinocéros déloge en piétinant les herbes. Ces oiseaux s'installent aussi sur son dos, picorent les tiques qui le démangent et l'avertissent du danger.

Ennemis

Douée de propriétés magiques ou prescrite comme médicament, la corne de rhinocéros se vend à des prix pharamineux. Les braconniers sont les seuls ennemis des rhinocéros.

Les lions ou les hyènes peuvent s'attaquer aux petits ; dans ce cas, la mère charge l'ennemi et devient très rapide.

Le rhinocéros blanc et l'homme

Au début du XXème siècle, le rhinocéros blanc avait pratiquement été exterminé par les chasseurs. Quelques-uns ont survécu au Zululand, les autorités du pays ont décidé alors de les protéger. Vers les années 50, on a pu commencer à les transporter ailleurs. Plus de 2000 ont été envoyés dans des parcs en Afrique du Sud et dans d'autres pays.

Aujourd'hui, le rhinocéros blanc bénéficie d'une protection efficace : il en reste plus de 4500. On a pu même en déplacer dans des zoos ou des réserves, sans que leur nombre ne baisse. Mais attention, les braconniers rôdent toujours !